아서 스타터 워크북 02

아서와 반려견 경연 대회

글·그림 마크 브라운

주니어 RHK

등장인물

Fluffy Dogs

털이 복슬복슬한 강아지.

Small Dogs

자그마한 강아지.

Shaggy Dogs

털이 덥수룩한 강아지.

Cute Dogs

귀여운 강아지.

and more!

더 많은 강아지를 만나 보세요!

Contents

한국어 번역 … 2 ~ 24

본 워크북에 담긴 한국어 번역의 페이지는 영어 원서의 페이지와 동일하게 유지했습니다.
영어 원서를 읽다가 이해가 가지 않는 부분이 있다면, 워크북의 같은 페이지를 펼쳐 보세요! 궁금한 부분의 번역을 쉽게 확인할 수 있습니다.

Activities … 25 ~ 55

영어 원서를 100 단어 기준으로 총 세 개의 파트로 나누어, 각 파트별로 다양한 액티비티를 담았습니다. 재미있게 영어 원서를 읽고 액티비티를 풀어 나가다 보면 영어 실력도 쑥쑥 향상될 것입니다!

Answers … 56 ~ 59

오디오북 … 부록 MP3 CD

부록으로 제공되는 MP3 CD에는 '듣기 훈련용 오디오북'과 '따라 읽기용 오디오북'의 두 가지 오디오북이 담겨 있습니다.
'듣기 훈련용 오디오북'은 원어민 전문 성우가 녹음한 오디오북으로 재미있는 효과음이 곁들여져 원서의 내용을 실감나게 이해하도록 도울 것입니다.
'따라 읽기용 오디오북'은 초보 학습자들을 위한 오디오북으로 효과음을 제거하고 조금 더 천천히 녹음한 것으로 학습용으로 사용하기에 유용할 것입니다.

Annual
ELWOOD CITY
DOG
SHOW
LINCOLN PARK
Saturday
2 PM

"이것 봐, 팔!" 아서가 말했습니다. "토요일에 반려견 경연 대회가 열릴 예정이래. 우리도 참가해야겠어. 어쩌면 우리가 상을 받을지도 몰라."

아서는 팔을 뒤뜰로 데리고 나갔습니다. “우리가 잘하길 원한다면, 우리는 연습해야 해. 그러니까, 굴러 봐, 팔.”

팔은 녀석의 꼬리를 흔들었습니다.

“굴러 보라고!” 아서가 다시 말했습니다.

팔은 녀석의 꼬리를 더 세게 흔들었습니다.

“아무래도 우리는 좀 더 쉬운 것부터 시작해야 할 것 같아.”
아서가 말했습니다. “앉아, 팔!”

팔은 구덩이를 파기 시작했습니다.

"아니, 아니야." 아서가 말했습니다. "이렇게 말이야."

팔은 원을 그리며 그의 주변을 뛰어다녔습니다.

"이건 내가 생각했던 것보다 더 어려울 것 같은데." 아서가 말했습니다.

"우리는 연습을 해야 해."

매일 그들은 연습하고

또 연습하고

또 연습했습니다.

경연 대회 날, 아서는 일찍 일어났습니다.

그는 팔을 목욕시켰고 잘 빗어 주었습니다.

"너는 시상대에서 가장 멋진 모습을 보여 줘야 해." 그가 설명했습니다.

반려견 경연 대회에는 많은 개들이 있었습니다.

그들 가운데 몇몇은 잔뜩 차려입고 있었습니다.

“걱정하지 마, 팔.” 아서가 말했습니다. “우리가 그들에게 보여 줄 거야.”

REGISTRATION
2

아서의 차례가 되었을 때, 그는 팔을 원형 경연장 안으로 이끌었습니다.

“앉아, 팔.” 그가 말했습니다.

팔은 옆으로 굴렀습니다.

"꼬리를 흔들어, 팔!" 아서가 명령했습니다.

팔은 녀석의 뒷발로 섰습니다.

심사 위원들은 흡족해 보이지 않았습니다.

결국에, 아서는 심지어 팔의 점수도 보지 않았습니다.

“점수가 좋을 리 없어.” 그가 말했습니다. “그 모든 일이 헛수고였어.”

JUDGES
1
3

팔이 다가와서 아서에게 코를 킁킁거렸지만, 아서는 움직이지도 않았습니다.

그러자 팔은 아서의 얼굴을 핥기 시작했습니다.

“그만해, 팔. 간지러워.”

그러나 팔은 멈추지 않았습니다. 아서가 미소를 지을 때까지

녀석은 계속해서 핥고 또 핥았습니다.

JUDGES
TUCKER

"네가 맞아." 아서가 말했습니다.

"세상이 끝난 것도 아니잖아. 이리 와, 집에 가자."

아서가 떠나려고 하자, 심사 위원들이 그를 멈춰 세웠습니다.

JUDGE
JUDGE
UDG
TUCKER
ELIZA

그러고 나서 그들은 팔이 우승자라고 선언했습니다!

Activities

영어 원서를 총 세 개의 파트로 나누어,
각 파트별로 다양한 액티비티를 담았습니다.

Part 1 ··· 26
(영어 원서 p.2 ~ 9)

Part 2 ··· 36
(영어 원서 p.10 ~ 17)

Part 3 ··· 46
(영어 원서 p.18 ~ 24)

각 파트의 영어 원서 페이지는 롱테일북스에서 출간된
'롱테일 에디션'을 기준으로 합니다!

Vocabulary Part 1

보다, 보이다

look

대회, 공연; 보여 주다

show

(대회 등에) 참가하다, 출전하다

enter

(이겨서) ~을 얻다, 이기다

win

상, 상품

prize

뒤뜰, 뒷마당

backyard

잘, 좋게, 제대로

well

연습하다; 연습

practice

구르다, 뒹굴다

roll

흔들다 (과거형 wagged)

wag

꼬리

tail

다시, 한 번 더

again

쉬운

easy

시작하다 (과거형 began)

begin

파다

dig

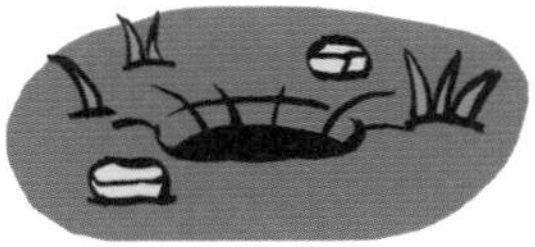

구덩이, 구멍

hole

달리다, 뛰다 (과거형 ran)

run

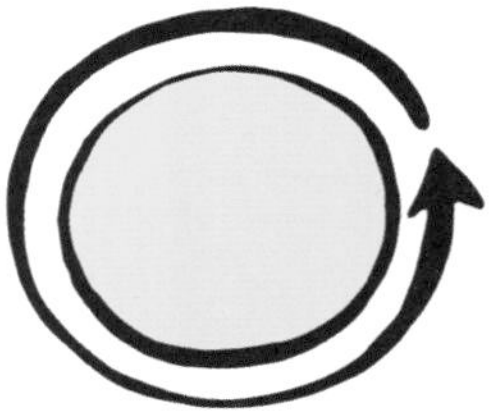

원형, 원형 무대

circle

Word Review Part 1

A 알파벳을 바르게 배열하여 그림에 맞게 단어를 완성해 보세요.

1

o l o k

2

i a l t

3

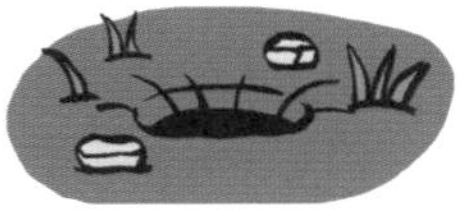

l e o h

B 알파벳을 바르게 써넣어 그림에 알맞은 단어를 완성해 보세요.

1

rol

2

p i e

3

e y

C 그림을 보고 알맞은 단어를 퍼즐에서 찾은 뒤, 빈칸에 단어를 써 보세요.

w	m	u	f	s	w	v	r
e	n	t	e	r	n	e	u
l	f	l	i	s	r	m	n
l	s	n	a	o	w	d	a
a	p	b	e	g	i	n	t
l	u	w	c	l	n	w	r
b	a	q	o	t	s	l	p
s	p	u	a	c	i	d	a

1

well

2

3

4

5

Wrap Up! Part 1

A 이야기의 순서에 맞게 번호를 적어 보세요.

Arthur thought that
Pal needed more practice.

Arthur took Pal out
to the backyard.

Arthur started
with something easier.

1

Arthur wanted
to enter the dog show.

B 각 단어에 알맞은 그림을 찾고, 이를 설명하는 문장을 찾아 바르게 이어 보세요.

show		Pal dug a hole in the backyard.
wag		Pal wagged his tail.
dig		There would be a dog show on Saturday.
circle		Pal ran around Arthur in circles.

C 다음 그림을 보고 아래의 단어를 알맞게 넣어 문장을 완성해 보세요.

practice again backyard

1. Arthur and Pal went out to the ________ .

2. Arthur and Pal started to ________ for the dog show.

3. Pal wagged his tail ________ and again.

D 책의 내용과 일치하면 TRUE에, 그렇지 않으면 FALSE에 동그라미를 그려 보세요.

1. Arthur wanted to win a prize at the dog show. TRUE FALSE
2. Arthur and Pal practiced in the backyard. TRUE FALSE
3. Arthur started with something easier. TRUE FALSE
4. Pal rolled over and sat down as Authur said. TRUE FALSE

E 다음 질문에 대한 알맞은 답을 골라 보세요.

What did Arthur want Pal to do?

ⓐ Wag his tail hard

ⓑ Do what he said

ⓒ Dig a hole

Let's Write! Part 1

A 우리말에 맞게 알맞은 짝을 찾아 바르게 연결하고 완성된 문장을 두 번씩 써 보세요.

1 Maybe we'll	in circles.
2 Arthur took Pal	win a prize.
3 Pal began	digging a hole.
4 Pal ran around him	out to the backyard.

1 어쩌면 우리가 상을 받을지도 몰라.

Maybe we'll win a prize.

2 아서는 팔을 뒤뜰로 데리고 나갔습니다.

3 팔은 구덩이를 파기 시작했습니다.

4 팔은 원을 그리며 그의 주변을 뛰어다녔습니다.

Vocabulary Part 2

날, 일, 하루

day

(잠자리에서) 일어나다

get up

일찍, 이른

early

목욕

bath

빗질하다, 솔질을 하다

brush

가장 좋은, 최고의

best

우승자

winner

설명하다

explain

(수, 양이) 많은

lots of

차려입다, 옷을 갖춰 입다

dress up

걱정하다

worry

차례, 순번

turn

이끌다 (과거형 led)

lead

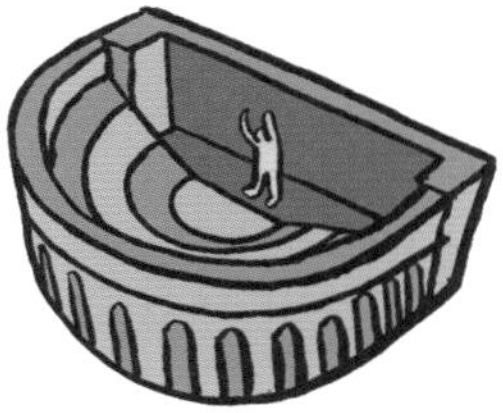

원형 경기장, 원형 무대

ring

명령하다

order

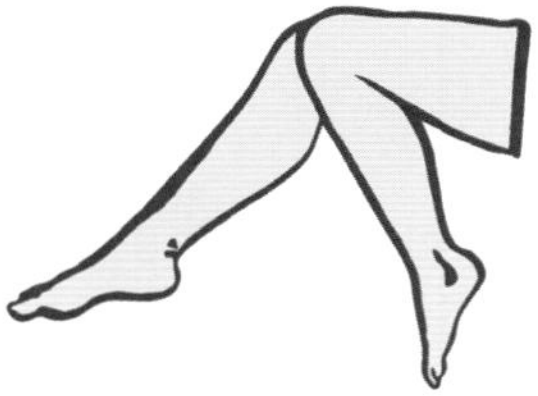

다리

leg

심사 위원

judge

흡족한, 기뻐하는

pleased

Word Review Part 2

A 알파벳을 이어서 알맞은 그림과 연결하고, 빈칸에 완성된 단어를 써 보세요.

r

b u g

n

i

r s h

r

j o e

d r

w u g y

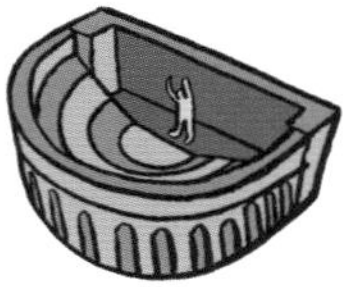

brush

B 그림을 보고 같은 색깔의 알파벳을 바르게 배열하여 빈칸에 써 보세요.

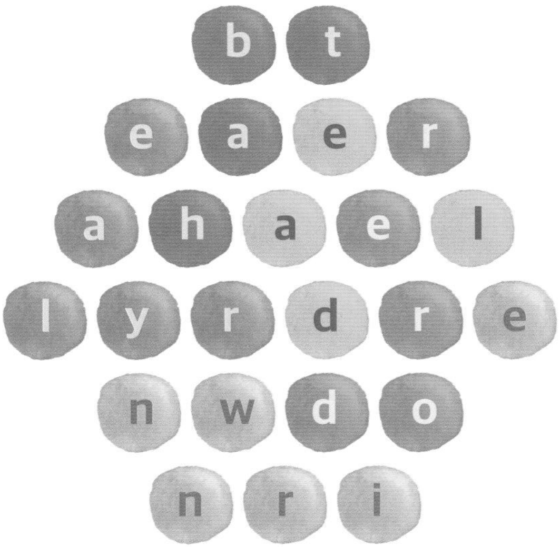

1

early

2

3

4

5

Wrap Up! Part 2

A 이야기의 순서에 맞게 번호를 적어 보세요.

The judges did not look pleased.

Arthur brushed Pal
to make him look good.

There were lots of dogs
at the dog show.

Arthur and Pal
practiced every day.

B 두 개의 문장 중 오른쪽에 있는 그림을 바르게 설명하는 문장을 골라 보세요.

1

ⓐ Arthur gave Pal a bath.

ⓑ Arthur gave Pal a bone.

2

ⓐ Some of the dogs were all dressed up.

ⓑ Some of the dogs looked worried.

3

ⓐ Arthur led Pal out of the ring.

ⓑ Arthur wanted Pal to sit.

4

ⓐ Pal wagged his tail.

ⓑ Pal stood up on his back legs.

C **다음 그림을 보고 아래의 단어를 알맞게 넣어 문장을 완성해 보세요.**

bath   got up   explained

1 Arthur ____________ early for the show.

2 Arthur gave Pal a ____________ .

3 Arthur ____________ that Pal needed to look good.

D 책의 내용과 일치하면 TRUE에, 그렇지 않으면 FALSE에 동그라미를 그려 보세요.

1. Pal looked worried at the dog show. TRUE FALSE
2. Arthur took Pal into the ring. TRUE FALSE
3. Pal wagged his tail as Arthur ordered. TRUE FALSE
4. The judges looked happy with Pal's work. TRUE FALSE

E 다음 질문에 대한 알맞은 답을 골라 보세요.

What did Pal NOT do at the dog show?

a. Roll over in the ring
b. Stand up on his back legs
c. Practice one last time before the show

Let's Write! Part 2

A 오늘 공부한 문장을 따라 써 보세요.

1 그는 팔을 목욕시켰습니다.

He gave Pal a bath.

2 반려견 경연 대회에는 많은 개들이 있었습니다.

There were lots of dogs at the dog show.

3 그들 가운데 몇몇은 잔뜩 차려입고 있었습니다.

Some of them were all dressed up.

4 그는 팔을 원형 경연장 안으로 이끌었습니다.

He led Pal into the ring.

5 팔은 옆으로 굴렀습니다.

Pal rolled over.

6 심사 위원들은 흡족해 보이지 않았습니다.

The judges did not look pleased.

Vocabulary Part 3

점수

score

일; 일하다, 작동하다

work

아무것도 아닌 것

nothing

오다 (과거형 came)

come

냄새를 맡다; 냄새 맡기

sniff

움직이다

move

핥다

lick

얼굴

face

그만하다, 멈추다

stop

간지럽다, 간지럼을 태우다

tickle

~을 계속하다 (과거형 kept)

keep

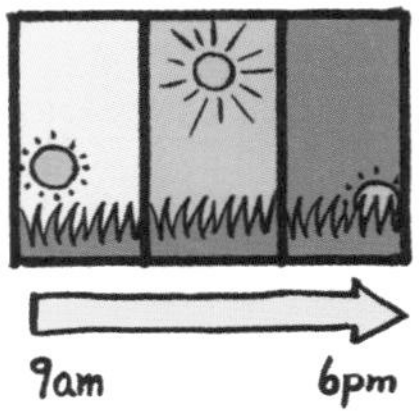

~ 때까지

until

미소를 짓다

smile

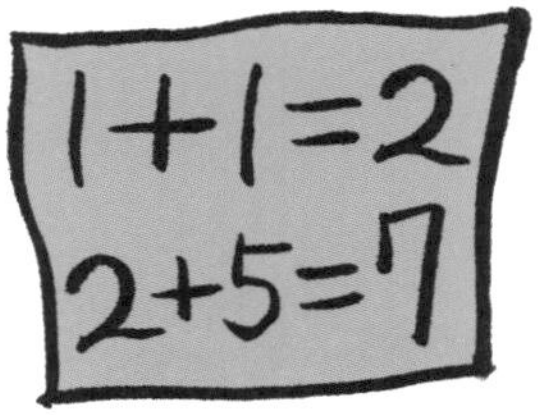

맞는

right

세상, 세계

world

집, 가정

home

떠나다, 남기다

leave

선언하다

declare

Word Review Part 3

A 그림을 보고 알파벳 속에서 맞는 단어를 찾아 빈칸에 써 보세요.

asiworkemsniffosecomebsnofaceornothingicountilseinb

1

work

2

3
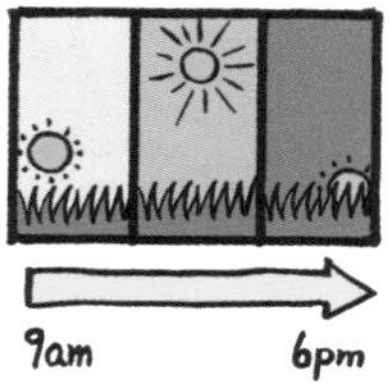

4

5

6

B 그림을 보고 알맞은 단어를 퍼즐에 넣어 완성한 뒤, 빈칸에 단어를 써 보세요.

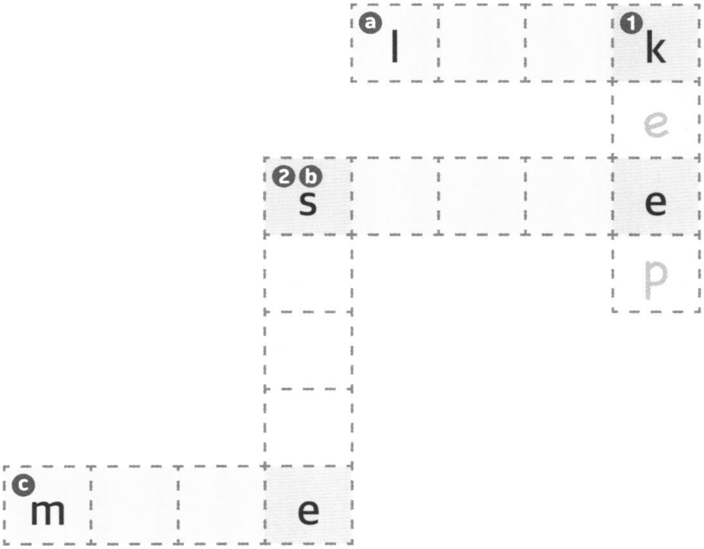

❶

keep

❷

ⓐ

ⓑ

ⓒ

Wrap Up! Part 3

A 이야기의 순서에 맞게 번호를 적어 보세요.

Arthur found that
it was okay not to win.

Arthur was sure that
Pal's score was not good.

At the end, the judges
declared Pal a winner!

Pal kept licking Arthur's face.

B 그림의 각 부분을 올바르게 설명하는 문장을 찾아 빈칸에 맞는 기호를 넣어 보세요.

ⓐ Pal made Arthur smile again.

ⓑ Arthur started to go home with Pal.

ⓒ The judges stopped Arthur and Pal.

ⓓ The judges said that Pal was a winner.

C 다음 그림을 보고 아래의 단어를 알맞게 넣어 문장을 완성해 보세요.

smile   move   licking

1. Pal came over, but Arthur didn’t ____________.

2. Pal didn’t stop ____________ Arthur.

3. Arthur started to ____________ at Pal’s licks.

D 책의 내용과 일치하면 TRUE에, 그렇지 않으면 FALSE에 동그라미를 그려 보세요.

1. Arthur looked at Pal's score. TRUE FALSE
2. Pal sniffed at Arthur after they were finished. TRUE FALSE
3. Arthur understood that it was not the end of the world. TRUE FALSE
4. The judges let Arthur and Pal go home. TRUE FALSE

E 다음 질문에 대한 알맞은 답을 골라 보세요.

Why did the judges stop Arthur and Pal?

a. To dress Pal up

b. To give Pal a winner's prize

c. To show Pal's score to Arthur

Let's Write! Part 3

A 우리말에 맞게 네모 안에 있는 말을 바르게 배열해 보세요.

1 아서는 심지어 팔의 점수도 보지 않았습니다.

didn't even look 심지어 보지 않았다	Arthur 아서는	at Pal's score 팔의 점수도

Arthur didn't even look ______________ .

2 팔이 다가와서 아서에게 코를 킁킁거렸습니다.

Pal 팔이	and sniffed 그리고 코를 킁킁거렸다	came over 다가왔다	at Arthur 아서에게

______________ .

3 팔은 아서의 얼굴을 핥기 시작했습니다.

Arthur's face 아서의 얼굴을	began 시작했다	Pal 팔은	licking 핥기를

______________ .

4 집에 가자.

go 가다	Let's ~하자	home 집에

.

5 아서가 떠나려고 했습니다.

Arthur 아서는	to leave 떠나려고	started 했다

.

6 그들은 팔이 우승자라고 선언했습니다!

declared 선언했다	Pal 팔이	They 그들은	a winner 우승자라고

!

Answers

Part 1

Word Review

A

1 

o l o k

look

2 

i a l t

tail

3 

l e o h

hole

B

1 

roll

2 

prize

3 

easy

C

w	m	u	f	s	w	v	r
e	n	t	e	r	n	e	u
l	f	l	i	s	r	m	n
l	s	n	a	o	w	d	a
a	p	b	e	g	i	n	t
l	u	w	c	l	n	w	r
b	a	q	o	t	s	l	p
s	p	u	a	c	i	d	a

1 

well

2 

win

3 

begin

4 

enter

5 

run

Wrap Up!

A

4 

Arthur thought that Pal needed more practice.

2 

Arthur took Pal out to the backyard.

3 

Arthur started with something easier.

1 

Arthur wanted to enter the dog show.

B

show

wag

dig

circle

Pal dug a hole in the backyard.

Pal wagged his tail.

There would be a dog show on Saturday.

Pal ran around Arthur in circles.

C

1. Arthur and Pal went out to the backyard.
2. Arthur and Pal started to practice for the dog show.
3. Pal wagged his tail again and again.

D

1 TRUE 2 TRUE 3 TRUE 4 FALSE

E

b

Let's Write!

A

1 Maybe we'll	win a prize.
2 Arthur took Pal	out to the backyard.
3 Pal began	digging a hole.
4 Pal ran around him	in circles.

Part 2

Word Review

A

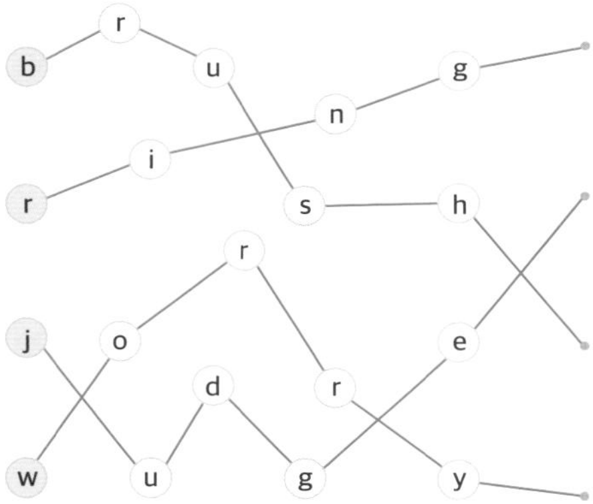

ring

judge

brush

worry

B

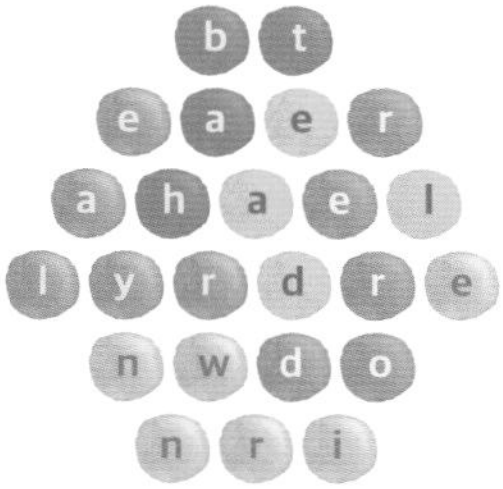

1 
early

2 
winner

3 
order

4 
bath

5 
lead

Wrap Up!

A

4

The judges did not look pleased.

2

Arthur brushed Pal to make him look good.

3

There were lots of dogs at the dog show.

1

Arthur and Pal practiced every day.

B

1 a   2 a   3 b   4 b

C

1 Arthur got up early for the show.

2 Arthur gave Pal a bath .

3 Arthur explained that Pal needed to look good.

D

1 TRUE   2 TRUE   3 FALSE   4 FALSE

E

c

Part 3
Word Review

A

asiworkemsniffosecomebsnofaceornothingicountilseinb

1

work

2

face

3
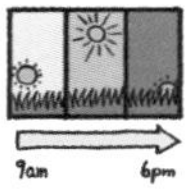

until

4

sniff

5

nothing

6

come

B

				ⓐ l	i	c	❶ k
							e
			❷ⓑ s	c	o	r	e
			m				p
			i				
			l				
ⓒ m	o	v	e				

1

keep

2

smile

a

lick

b

score

c

move

Wrap Up!

A

Arthur found that
it was okay not to win.

Arthur was sure that
Pal's score was not good.

At the end, the judges
declared Pal a winner!

Pal kept licking Arthur's face.

B

C

1 Pal came over, but Arthur didn't move.

2 Pal didn't stop licking Arthur.

3 Arthur started to smile at Pal's licks.

D 1 FALSE 2 TRUE 3 TRUE 4 FALSE

E b

Let's Write!

A

1 Arthur didn't even look at Pal's score.
2 Pal came over and sniffed at Arthur.
3 Pal began licking Arthur's face.
4 Let's go home.
5 Arthur started to leave.
6 They declared Pal a winner!

More Arthur Stories to Read!

01 Arthur and the Big Snow

02 Arthur and the Dog Show

03 Arthur Helps Out

04 Arthur Jumps into Fall

05 Arthur Tells a Story

06 Arthur to the Rescue

07 Arthur's Birthday Surprise

08 Arthur's Heart Mix-Up

09 Arthur's Homework

10 Arthur's Jelly Beans

11 Arthur's Mystery Babysitter

12 Arthur's Off to School

13 Arthur's Tree House

재미있는 내용을 쉬운 문장과 간결한 표현으로 풀어 낸 기초 원서,
『아서 스타터(Arthur Starter)』 시리즈

아이들의 눈높이에 맞춘 유쾌한 이야기!
실생활에 바로 적용할 수 있는 영어 표현!

ARTHUR AND THE DOG SHOW

아서와 반려견 경연 대회

초판 발행 2022년 1월 3일

글·그림 마크 브라운
번역및콘텐츠감수 유아름 정소이
콘텐츠제작참여 기나현 선생님(경기 고양 일산중) 김수정 선생님(경기 부천 계남초)
이재영 선생님(서울 영등포 영림초) 임소연 선생님(경기 동두천 생연초)
영문감수 Julie Tofflemire
책임편집 유아름 정소이 김보경
디자인 모희정 이강효
저작권 김보경
마케팅 김보미 정경훈

기획 김승규
펴낸이 이수영
펴낸곳 롱테일북스
출판등록 제2015-000191호
주소 04033 서울특별시 마포구 양화로 113(서교동) 3층
전자메일 helper@longtailbooks.co.kr

ISBN 979-11-91343-26-7 14740